새들의 가갸거겨를 배우다

문학연대 시선
06

고진하 시집

새들의
가
　가
　　거
　　　겨
　　　　를
배우다

[시인의 말]

난 촉감의 신[Epaphus]처럼
흙 주무르기를 좋아한다네.
꿈도 밥도 사랑도, 느린 내
시의 보폭도 궁극에는 흙으로 수렴되는 것.
세상은 "대지에서 그 시적인 영혼을 떼어버린"(헨리 베스톤)
인간들로 진동한동 붐비지만
야생의 흙길을 맨발로 걸으며
흙에서 나고 자라는 식물들과 깊이 사귀는 동안
시적 감흥과 지혜의 희색(喜色)이 넘쳐 흐르는 순간도 있네.

흙이여, 시여, 고맙다.

2023년 10월
원주 명봉산 자락에서
고 진 하

차례

제2부

제3부

제4부

제1부

새벽 성전

새벽 미명마다 걸으면서 기도하네

어느 날은
막 동이 터오는데

둑방 옆 나뭇가지에 붙어
생명의 경계를
미소(微小)한 자로 허물듯
오체투지하듯
꿈틀꿈틀 움직이는
자벌레들을 보았네

지구
평화를
기리는
느림의 신도들—

고독이 사랑을 통과하면

지척을 분간할 수 없는 물안개 속으로
개여울은
느린 보폭을 맞추듯
고요한 음악으로 흐르네

안개의 악보로 변한 돌방죽
흰 건반을 두드리듯
지팡이로 길을 열며
홀로 걸어도 외롭지 않네

고독이 사랑을 통과하면
나보다 큰 나를
만날 수 있으니

사랑이 고독을 통과하면
이미 여러 번 죽은 나를
미련 없이 보낼 수 있으니

개여울 가 흰 갈대꽃 무리 환대 속에

돌아오는 길
홀로 걸어도 외롭지 않네

물안개에 세수하고 나온 해맑은 얼굴
오늘 첫 동무
해님의 다정과 어깨동무하고 걸었네

황혼

저물녘
소의 잔등을 닮은
산 능선 위로
너울너울 어스름이 내리고 있네

나, 자연의 서기(書記)를 자처하지만
저 아름다운 시간의 적요를
기록할 말을 찾지 못하네

숱한 삶의 형상들을 지우는
어둠이 커튼을 치는 시간
누군가는 저 황혼의 기억도 잊고
덤덤히 유서를 작성하겠지

오늘
죽어도 이상하지 않은 나이
고단한 삶의 여정
바람의 발자국에 마침표를 찍듯이

흰 백지 위로 떠오르는 천상의 별들에
마지막 시(詩)옷을 입히듯이…

영원의 빛깔

깐깐오월
마당귀에 저절로 나서 자란
연둣빛 등(燈) 밝힌
댑싸리, 마파람이라도 불면
연인의 치맛자락처럼 갈씬거리네

내가 선택하지 않은,
그래서 더 좋아하게 된
영원의 빛깔 댑싸리는 상큼한 음악, 먼저
눈으로 듣고, 다시
귀로 들으면 성스런 침묵으로 이어지는

오래오래 곁에 두고 싶은
영혼의 동반(同伴), 네 지극한 빛이 있어
죽음의 기운이 창궐하는 세상에서도
오늘을 긍정할 힘을 얻는다네

너저분한 뜰을 깨끗하게 비질해 주는
쓸모야 말할 것도 없지만

무엇보다 널 사랑하는 건
오늘 하루를
영원의 빛깔로 물들여 주기 때문이지

새들의 가갸거겨를 배우다

입춘 무렵, 보이지 않는 검은 손이
대문을 흔들며 문 열라고 소리치더니
며칠 전부터는
방 문고리를 잡고 흔드는 것 같았어
이젠 소멸의 가갸거겨를
배워야 할 시간이 당도하고 있는 것일까

얼어붙었던 개구리 입이 떨어진다는
경칩, 용솟음치는 봄의 기운이
죽음을 비웃듯
쳐진 내 어깨를 툭 치며
동장군 뚫고 연두 머리 쑥 내미는
구억배추 새싹을 보여주었어
청명 지나자
꾸지뽕나무 잔가지에도
물오른 잎눈들이 부활을 토했어

고미다락에 올라 깜박 졸다가 나와
꽃샘바람에 번쩍 정신이 들어

집 안팎을 휘둘러보았는데
대문과 문고리를 잡고 흔들던
검은 손의 환영은 보이지 않았어
잠시
끌탕하던 마음 추스르고
돌담을 넘나들며
봄을 파종하고 있는
새들의 가갸거겨를 배우고 있네

변화의 간이역

*

봄에서 여름으로 건너는
지날결에
철새들의 간주곡을 들은 게 엊그제 같은데

폭염의 불도장[火印]을 받은
가을 잎들이
다투어 떨어지네

천지사방 흩날리는 낙엽에 섞여
오랜 지인들의 부고도 후두두둑
몇 닢 떨어졌는데

모든 피조물은 변화의 낙인이 찍혀 있다*는
한 수도승의 말이 문득 사무쳐 왔어
살갗에 불도장이 찍힌 듯

세상에, 영원한 건 없다는 말을
고로코롬

가슴에 콕 박히도록 하다니!

＊＊

매일 걷는 방죽길 옆에
물소리 세찬
개여울이 있어
묵은 나뭇잎들도 흘러가지만
오염된 물속을
둥둥 떠다니는
청둥오리나 원앙 같은 새들을 보면
　　— 애들아, 도망쳐!
소리가 절로 나오네

하지만 어딜 갈 수 있겠어, 나 역시
이 세상에 살아남기 위해
물불의 지옥을
미친 듯 내달려야 하는 걸

＊＊＊
천방지축 떠돌아다니는
백 세 시대라는 화두가 낯설지 않지만
딱히
오래 살고 싶은 생각은 없어

채색이 바뀌는 사계절과 숱한 관계와 인연들,
생로병사가
변화의 간이역들인데

빠아앙∼
경적이 울리면

훌훌 털고 홀연히 떠나야 하리

* 마이스터 엑카르트.

20그램의 무심

빈 둥지 아래 땅바닥엔
백금 같은 제비 똥만 수북했네
그토록 애지중지한 녀석들인데
똥만 잔뜩 갈겨놓고
온다간다는 말도 없이 떠나다니
넋 나간 사람처럼
쪽마루에 앉아 있다가
만남이나
이별에도 무심한
저 야생에 닿지 못한
속물을 부끄러워하다가
딱딱하게 말라붙은 이별
불투명의 사랑 긁어내지 않고
며칠 두고 보기로 했네

지금쯤 어느 먼 하늘을 날고 있을까
20그램의 무심(無心)은…

현자(賢者) 양파

이글이글 불타는 태양의 수레가
뭉게구름 속을 들락날락하는 오후

마을 어귀 넓은 양파밭
푸른 양파 잎들이 일제히 옆으로 자빠져 있었다

어, 이거 무슨 일?
볕이 너무 뜨겁고 가물어서 그런가

마침 밭 주인이 밭가에서 풀을 베고 있기에
가까이 다가가서 물었다

왜 저렇게
푸른 양파 잎들이 일제히 드러누웠죠

저걸 도복(倒伏)이라 그러는데유
양파는 저렇게 옆으로 쓰러지면서
열흘 안에 수확해야 될 때가 되었다
는 걸 알려주는 거예유

저 죽을 때를 모르는 사람보다 낫지유

집으로 돌아오며 생각했다

그래서 양파는 벗기고 벗겨도 또 벗길
깊은 속을 지니게 된 거라고

그래서 저를 까는 사람 눈물 쏙 빼놓을 만큼
매운 맛을 지니게 된 거라고

방죽 위의 성찬

방죽을 걷다가
동물 배설물을 보면
못 볼 것을 본 듯 비켜가곤 하지만
오늘은 달랐는데요
한 무더기 개똥에
웬 나비들이—
(가끔씩 나비도감을 들척이던 중이라
금세 알아보았는데)
홍점알락나비
대여섯 마리가
다닥다닥 붙어 있었는데요
실은, 개똥을
맛있게 시식 중이었는데요
저마다 홍점들이 찍힌 비단 날개를 펼친 채
성찬(盛饌)을
즐기고 있었는데요
하늘에서
그걸 물끄러미 내려다보는
구름 안경을 낀

대식가 해님도
쩝쩝 입맛을 다시고 있었는데요.

비단풀

발그레 꽃 핀 비단풀을 보면
꽃이 작아도 너무 작네
저렇듯 작은 꽃은 무엇이 날아와 수정해줄까

어느 날 가만 엎드려
비단풀 꽃을 들여다보는데
꼬물꼬물 나타난 잔 개미들. 아, 바로 너희구나

사람 눈엔 잘 보이지 않지만,
비단풀 꽃의
환한 미소가
개미 형제들을 꼬드긴 걸까

옆으로 옆으로 줄기 뻗어 자라는
폭신폭신한 비단 카펫 밟고 다니며
밀원을 빠는 잔 개미들

그 모습을 제대로 관찰하기 위해
돋보기까지 동원했는데, 그때

보았네

쪼그만 것들이
쪼그만 것들과 어울려
공생하는 희귀한 몸짓들을

저 보일 듯 말 듯한
꽃들의
희색(喜色)이
내 미소한 꿈도 보듬는다는 것을

부고 한 닢 툭,

거센 돌풍이 몰아친 늦가을 아침
우수수 흩날리는 은행잎들에 섞여
예기치 못한 부고(訃告)도 한 닢 툭, 떨어진다
갑자기 벌렁거리는 심장의 박동
텃밭의 김장무 뽑히듯이
친한 동무들 쑥쑥 뽑혀가는 일이 잦아진다
평소 곡차도 어울려 마셨지만
일구월심 가난하고 병든 이들 사귀며
보살행을 으뜸으로 여기며 살았던
친구 스님의 입적 소식
오늘 헐벗은 은행나무 아래서 들었다
착하게 살던 이들은
왜 땅별에 두지 않고 서둘러 뽑아 갈까
도무지 알 수 없는 저 무량한 신비가
너와 나의 배후라 하더라도
무지근해지는 마음은 어쩔 수가 없구나
너무 기가 막혀 종일 집 안팎을
흙강아지처럼 서성이는데
끄느름해진 저물녘

내 마음을 알 턱이 없는
마른 천둥번개가 우릉 우르르릉 지나간다

낭보

독신으로 살 것 같던 딸이 혼인을 하고
회임을 하더니

어느 날은
열레달처럼 둥글어지는 배를,
어느 날은
보름달처럼 만삭의 배를 찍은 사진을 보내주었는데

얼마 뒤 순산을 했다며
드디어
할아버지가 되셨다는 낭보를 전해 왔다

얼마나 기쁘던지
울컥, 눈시울이 젖어들었다

한데
기쁨의 눈물이 채 마르기도 전
소금꽃 피는 물의 심연에
치명의 독(毒)을 풀었다는 소식을 들었다

종말의 기운이 요동하는 세상이지만
인간 종이 사라지는 것이
가이아(Gaia) 여신이 기뻐할 낭보일 거라는 말은
제발, 내 앞에서는 하지 말기를

직지사 꽃무릇

직지사 대웅전으로 오르다가
소나무 숲 반그늘에 핀
꽃무릇 무리에 시선을 뺏기네
푸른 잎들과 이별한 후 직립한 줄기에
오글오글 타오르는 저것들 혹 불심(佛心)은 아닐까

아픈 날이
안 아픈 날보다 더 많은 요즘
꽃무릇 풍경을 카메라에 담는데
심장이 쿵쿵 뛰며 왜 좀 더 살고 싶다는 생각이 들까

하늘이 땅을 더 밟도록 허락해 준다면
사랑이 하는 일이
노인을 젊은이로 만든다니*
매일 숫자에 놀아나는
찌질한 이성보다
사랑의 아우라에 내맡기고 살리

어정버정하다 날이 저물어

일모도원(日暮途遠)의 처지지만
꽃무릇보다
붉은 노을을 보며
소멸의 순간을 기꺼이 받아들일 수 있다면
지복(至福)이란 생각이 불쑥 들었는데

오늘 대웅전 부처님 못 뵙고 내려가도
불심 가득한 꽃무릇이
마파람에 흔들리며 하산길을 배웅해 주었네

* 잘랄루딘 루미.

올빼미 학교

소찬의 저녁 식사를 마치고 나면
  학교 다녀올 게요!
옆지기에게 말하고 서재로 향하지

밤이 되어야 올빼미가 눈에 불을 켜고
사냥을 시작하듯이
  나 또한
  별들이 떠올라야
책을 열고 지혜 사냥에 나서거든

달도 별도 뜨지 않는 밤에는
형설지공의 마음으로
  책 행간의
  고독의 불꽃을
사냥의 스승으로 모시네

책을 읽다 흥이 나면
책을 덮고 흥얼흥얼 노래를 부르지
  노래로 탄생하지 않는

지혜는 가짜라며
올빼미와 별들이 일러준
천상의 악보를 읽으며
우쿨렐레 현을 천천히 뜯네

자정이 넘으면 수업을 끝내고
　올빼미와
　별들에게
작별을 고하고 잠자리에 들지

오늘 지혜 사냥엔
실패했지만
뭘 더 바라리 꿀잠을 잘 수 있다면

만물의 자궁, 진흙이여

옹기장이도 아니고
어설픈 농부지만
흙 주무르기를 좋아한다네
환상보다는
육체를 더 신뢰하기 때문이지

마주 앉아 깍지 낀 연인의 보드라운 손처럼
흙의 온기와 내 체온이 섞일 때
흙과 나 사이에 꿈틀거리는
호미에 토막토막 잘린 지렁이들 끼어들 때

부엌 아궁이의 갈라진 틈이나
한옥 사랑채 화방벽에
숱한 벌레들이 뚫은 숱한 구멍들
진흙을 주물러 메울 때
난 촉감의 신 에파포스*가 된다네

세상의 어떤 감각 재료보다
촉감을 충족시켜 주는 진흙이 좋네

씨 뿌려 거둘 혼돈과 불임의 종자 말고
영원한 봄을 싹 틔울
만물의 자궁이여, 진흙이여!

* 그리스의 신. 니코스 카잔차키스, 『영혼의 자서전』에서 재인용.

꾸지뽕나무의 말씀

숱한 생각이 꼬리에 꼬리를 물어도
그 꼬리 어디서도
詩 한 잎 발아하는 일은 드물지
그래서
자르고 또 잘라도
거듭 돋아나는
도마뱀 꼬리 같은 생각의 손에
괭이 한 자루 쥐어 주고
봄볕 아른거리는 텃밭으로 내몰았지
너 구슬땀 좀 흘려봐
네 괭이질에 토막토막 잘린 채
꿈틀대는 지렁이들과 입맞춰 봐
네 눈에 보이잖는 땅 속
미생물들과 으밀아밀 통화해 봐
생각의 폭풍이 좀 잦아들 거야
눈에 보이는 것밖에 볼 줄 모르는
사람의 소리가 아니야
텃밭 가 파릇파릇 새순이 돋는
꾸지뽕나무의 말없는 말씀이야

수묵화

앞 능선이 뒤 능선을 엎고 있는
강원도 인제의 첩첩한 산 능선들을 보며
아내가 입을 열었다

아직은 우리가 앞 능선처럼 자식들을 업고 가지만
이제 조금 더 늙으면
우리가 뒤 능선처럼 자식 등에 업혀 살아야겠지요

그렇게 말하며 글썽글썽 눈시울이 젖는
아내를 똑바로 쳐다보지 않고
괜히 마음이 소삽해져서 중얼거렸다

누가 붓질을 했는지 모르지만
하늘에 마구 번진 저놈의 수묵 때문에
봄빛 수레가
첩첩 능선에 걸려 덜컹, 덜커덩거리겠소

제2부

야생 수업

으슥한 숲이 좋아
햇살도 어두침침한 나무 그늘을 파고드는
으슥한 숲으로 들어서면
잠시 나는 실종되어버리지
칡덩굴이 큰 굴참나무를
꽈배기처럼 배배 꼬고 오르는,
시퍼런 이끼 덮인 계곡의 물소리가
저 아래 암자의 독경 소리보다
청청하게 들리는 숲
이따금 찾아오는 우울을 달래려
으슥한 숲길 오르다
고라니 새끼 두 마리
멧돼지 짧은 꼬리만 본, 재수 좋은 날
머리칼 쭈뼛거리는
야생 수업은 오늘 여기까지
산까치들 배웅을 받으며 하산을 서둘렀네

칼칼한 왕붓 문장

어릴 적 연두 잎은 뜯어 나물로 무쳐 먹고
줄기는 잘라 솥에 넣고 팔팔 끓여
오줌발 시원찮은 식구에게 먹이고
가을엔 졸가리만 남은 댑싸리 베어다 비를 매곤 했는데

올핸 댑싸리 빗자루를 세 자루나 맸네

그걸 잘 마르라고
대문간 옆에 나란히 세워 놓았더니
뒷집 아낙이 지나가며
성질 칼칼한 댑싸리
왕붓 모양으로 잘 다스리셨다고
엄지 척! 해주고 가네

그렇다면
이 왕붓으로 일필휘지 무엇을 쓸까나
쓸고 또 쓸어도
금세 너저분해지는 흙마당
콩 타작 후 잔뜩 어질러진 마당

싸락눈 덮인 골목길

어디서 붓질 공부를 한 적이 없지만
정갈하고 깨끗한 문장을 기대하셔도 좋겠다
칼칼한 왕붓 문장을 기대하셔도 좋겠다

불편당*

돌담 바깥에 우두커니 서서
남의 집을 힐끔거리듯
불편당을 둘러보았네
도둑이라 해도 별로 훔칠 것이 없어 보였어

그래도 주인은
이 집을 짐벙진 선물이라 여기는지
일곱 기둥에 한글 주련이 붙어 있었네

　　- 날마다 화전 놀이하듯
　　- 불편도 불행도 즐기자
　　- 쉴 새 없이 명랑하자
　　- 당신은 우주에 핀 한 송이 꽃
　　- 시와 꽃과 예술과 하느님을 낭비하자……

그러니까 여기 터잡고 사는 이는
오늘을 예찬하며
오달진 아름다움을 낭비하는 사람이구나

그렇게
남의 집을 훔쳐보듯 서 있는데
날랜 제비 한 마리
노란 주둥이들의 재재거림이
수선스레 번지는
처마 밑 보금자리로 쑥 날아들었다

* 내가 사는 집 당호.

좁쌀영감

새소리가 너무 시끄러워 대문 밖을 내다보니
꾸지뽕나무에
물까치 예닐곱 마리가 앉아 깍깍거리네

긴 청회색 꼬리가 아름다워 평소 예뻐한 새인데
아니, 요것들이 떼로 몰려와
바알갛게 익어가는
꾸지뽕 열매들을 쪼아먹고 있는 게 아닌가

수령(樹齡) 7년차 열매가 처음 제대로 달려
고것 좀 맛보려고 가물 든 날은 물까지 퍼 나르며
애지중지 키웠는데…
그냥 두면 다 서리해 갈 것 같아
후여후여 물까치들 쫓아버린 후
비닐 그물망을 가져다 나무를 씌워버렸지

그렇게 단도리하고 들어오다
문득 돌아보니
옆집 큰 밤나무에 올라가 앉은 물까치들이

나를 향해
깍깍대며 구시렁대는 것 같았어

– 어릴 적
자린고비 이웃 영감을 두고
울 아버지가 그러셨듯이

에구, 저 좁쌀영감!

가을걷이

도리깨를 휘둘러 쥐눈이콩을 털었어요
서툰 도리깨질을 하다 어깻죽지를 쳐
시퍼렇게 멍이 들었지만
어깻죽지에선 콩 한 톨 나오지 않았죠
콩 꼬투리 다 바스러진 뒤
이웃집에서 빌려온 낡은 키로
서툴기 짝이 없는 키질도 했어요
키질로 몇 되쯤 콩을 얻을 수 있었지만
몇 말쯤 먼지를 뒤집어썼죠
어느 새 겨울 해는 서산으로 기울고
농사는 하늘이 짓고 난 겨우 시중드는
불편당의 가을걷이는 끝났어요
장작을 패
아궁이에 불 지피고 나면
도리깨에 맞은 어깨가 쿡쿡 쑤시지만
일찍 저문 하늘에는
종일 아무 일도 없었던 양
쥐눈처럼 반짝이는 별들이 떠오르죠

반계리 은행나무*

                    1
쉴 수 있는 그늘을 찾아 돌아다녔지만
당신의 그늘은 늘 각별합니다
사람 서슬에서 외로움 풀 길 없어
휘영청 보름달 뜬 밤
수천수만의 가지들마다
안식의 영(靈)처럼 수런대는
달빛 그늘로 스며들었습니다
한 아름
두 아름
네 아름
다섯 아름
열두 아름…
한껏 팔을 벌려 당신을 품에 안아보다가
그냥
당신 품에 안겼습니다

                    2
당신이 펼친

거대한 날개에 주눅 들어
당신 발치에서 한참을 서성였습니다

우툴두툴 지상으로 솟구친
당신의 발,
짐승이나 사람이나 당신의 발 마구 짓밟지만

우주의 혈맥처럼 뛰는
당신의 발치에
동동촉촉한 맘으로 돌 몇 개 올려놓고 돌아섭니다

3

노랑노랑노랑 잎들이 첩첩 쌓이면
당신은 앙상한 암자로 변합니다

숫나무인 당신은
고승(高僧)의 덕을 갖춰
구린내 풍길 일 없어 그나마 다행입니다

난 마음 놓고
당신이 깔아준
황금방석에 좌정합니다

* 원주시 문막읍에 있는 800년 된 은행나무.

터미네이터 수박

모종을 사다 심고는 물 몇 번 준 게 전부인데
풀들을 해먹 삼아 누운
수박들이 둥글둥글 잘 익었네

쫙—
수박을 쪼개 붉은 속살은 파먹지만
씨앗은 받지 않았네
어차피 내년엔 싹 트지 않을 씨앗들이니까
자살할 씨앗들이니까

씨앗이 씨앗 구실을 못하도록 조작한
터미네이터 수박
터미네이터 고추
터미네이터 토마토
터미네이터 오이……

목구멍이 포도청이라
속살은 맛있게 파먹지만
퉤! 퉤! 뱉어내는

검은 씨앗들
도로 내 얼굴에 달라붙어 검버섯으로 피어나네

* 터미네이터: 땅에 씨앗을 심고 나서 나중에 씨앗을 받아도 다음 해에는 싹이 트
지 않도록 종자의 형질을 전환하는 기술.

똥장군

자주 이사를 다니면서도 버리지 않고
무려 삼십 년을 끌고 다닌 똥장군
(아니, 모시고 다녔다고 해야 되나?)

근육질 탄탄한 사내 몸매도 아니고
시골의 늙은 아낙을 닮은
평퍼짐한 몸매지만

장독대 돌 틈에서 자란
나팔꽃 덩굴이 사랑스럽다는 듯
똥장군 끌어안고 부~ 부우~ 보랏빛 나팔을 부네

쿠린내 진동하는
똥장군 진 아버지 지게 뒤를
졸졸 따라가던
까마득한 유년의 기억을 소환하는, 똥장군

　"한 사람이 하루에 배설하는 분뇨로
　하루 먹을 곡식을 생산해내니

백만 섬의 분을 버리는 것은
백만 섬의 곡식을 버리는 것…."*

지금은 이런 본분에서 멀어져
온통 먼지 뒤집어쓴
농업 박물이 되어버렸지만

똥장군,
세상의 어떤 장군보다 장한 일을 하던!

* 박제가의 『진북학의』에서 인용.

구멍수에 대하여

구멍수란 말을 들어보셨는지.
삶의 장애나 난관을 뚫고 나갈 만한
도리를 일컫는 말.
시골에서 한옥살이 하다 보면
낡은 기와지붕이 줄줄 새고
흙벽과 처마에 숭숭 구멍이 생겨
난감해지는 경우가 많지.
비가 새는 지붕은 서둘러 갑바로 덮거나
흙벽과 처마에 생긴 구멍들은
진흙과 석회를 섞어 메우기도 하지만
천성이 게으른 나는
움푹 팬 구멍들을 그냥 놔두고
벌이나 나비 같은
귀여운 지친들의 뻔질난 출입을
쪽마루에 앉아 골똘히 지켜보기도 하지.

그러나
지구별 천장에 큰 구멍이 뚫려
도무지 구멍수를 찾을 수가 없을 때

망연자실
저 넘실대는 물과 불의 지옥을 바라보며
깨금 뛰듯 발만 동동거리네.
구멍수란 말이 들어 있는 사전도
물에 젖거나 불에 타버려
용도 폐기할 때가 온다면
그때도 내 심장이 쿵쿵 뛸 것인가.

침묵의 봄을 견딜 수 없어

아까시 꽃들이 만개한 걸 안 건
후각이 먼저였어
　꿀벌처럼 날아갔지
　하지만 윙윙거리는
봄의 악사들은 한 마리도 보이지 않더군

보행은
가없이 넓은 도서관이라는데
　오늘의 서가엔
　꽃들은 빽빽이 꽂혀 있었지만
　짙은 향기도
꿀벌도 읽을 수 없었어

아까시 꽃에 코를 쓱 들이미는
　관성의 인간은 있지만
　내 현존을 느낄 순 없었어

나이 들어가면서
　조마조마한

생명들을 지켜보는
것은 기쁨이지만 고통이기도 해

침묵의 봄을 견딜 수 없어
좁은 마당 한 켠에
　산에서 부엽토 몇 포대 실어다 붓고
　조그만 화원을 만들었지

앵초와 수선화 따위 묘(苗)를 사다가
심을 작정인데
　봄이 오면
　제 속에 품부된 빛깔과 향을
한껏 뿜어 올려주려나

토종 씨앗이 왔어

멀리 남녘 땅 순천에서
토종 씨앗이 왔어 봉지봉지 싼
씨앗 선물 받고 나니
온다던 친구 오지 않아도
섭섭하지 않았어.

무슨 금괴 따윌 보유할 형편이 못 되는 건
세상이 다 알지만
난 토종 씨앗
수십 종을 보유했다고
동네방네 자랑할 거야.

다시 방주(方舟)가 뜨게 되면
토종 씨앗들 품고
그 배에 오를 수 있을까.

매사에 노심초사하는 소인배지만
제정신이 들어
천지사방을 휘둘러보면

지구 종말의 시나리오가
환하게 보여서 하는 말이야.

그래도 봄이 오면
텃밭에 토종 씨앗 뿌릴 거야. 그냥 뿌릴 거야.
소농을 꾸리는 내가 사는 이유.
송이송이
슬픔의 눈물이 모여
삶의 물레방아를 돌리는 세상이지만.

아버지의 워낭소리

아버지보다 훨씬 오래 산 나는,
봄이면
  똥장군을 메고
  산밭으로 낑낑대며 올라가시던
겨울이면
  우마차 끌고 십 리도 더 되는
  깊은 산에 들어 땔나무를 해 오시던
아버지의 야성이 왜 그리워질까

이십여 년 전 귀농을 한 뒤
가파른 산밭을 자주 오르내리며
  그 야성의 DNA를
  내 안에서 확인하고
고라니나 멧돼지 같은
유랑과 순환의 철학을 익히고 있긴 하지만

오늘 산책 중에 아버지 생각이
괜히 간절해져
  백여 마리 소를 키우는

친구 우사(牛舍)에 들러
아버지 눈을 닮은 송아지들과 눈 맞추다 왔지

똥범벅이 된 부룩송아지들 엉덩이에선
　봄기운이
　무럭무럭 피어오르고 있었어
아버지 눈엔 저 부룩송아지들처럼
여전히 철부지로 보일
　　나,

문득 스쳐가는 환(幻)
아버지는, 부룩송아지들 곁에 서서
껄껄껄 웃으시며
나를 향해
　그래 그래,
　같이 봄마중하자꾸나
딸랑딸랑 워낭소리를 내고 계셨어

잰걸음의 봄날

봄은
잰걸음으로 왔다가
잰걸음으로 갈 모양이다

지구가 앓는 몸살일까
한꺼번에
화들짝 피고 지는 봄꽃들

봄볕에 취해
왕벚나무 밑을 걷다가
화관(華冠)을 무심코 받아 썼지만

붕붕거리는
봄의 악사들
꽃들을 순례하는 벌들의 관성이
괜스레 슬퍼지는 봄날

카톡!
카톡!

느닷없는 경보가 울려도

아무도 사고(事故)라고 생각하지 않는
잰걸음의 봄날

오래된 별의 청춘

지금 내가 머무는 곳이 땅이거늘
걸음걸음 내딛는 곳
머리 대고 눕는 곳이 땅이거늘
무슨 땅을 찾아
온 산천을 헤매고 다니는가

집 한 칸 앉힐 땅
몸 한 채 눕힐 땅
인간이 땅에 속한 것이거늘
땅이 인간에 속한 것인 양

저 거들먹거리는, 부동산
움직이지 않는 재산이 있기는 있나
돈궤(櫃)에 갇힌 영혼처럼
움직이지 않는 보화가 있기는 있나

지난봄 새끼를 깐 뒤
둥지마저 버리고 간 제비들의 자유한 날갯짓을
보금자리로 할 수는 없는 건가

땅을 숭배하지 않고
불을 숭배하던 힌두 수행자처럼
재를 온통 알몸에 발라
공(空)을 존재의 터로 삼던

오래된 별의 청춘이 될 수는 없는 건가

분재농원

봄 마중하기 좋은 날씨가
산책길을 열어 주었습니다

느릿느릿 걷다가 만난
분재농원
　굵은 철사가 가지마다
　챙챙 감긴
어린 소나무들 앞에서
갑자기 내 시선이 정지 화면처럼 멈췄습니다

눈먼 욕망의 손아귀에
푸른 모가지 비틀려 지르는 단말마의 비명
　내 귀에만 들렸을까요

어머니 지구 정령께서 듣고 보셨다면
　당신 망막의
　실핏줄이 터져
괴로워하지 않으셨을까요

봄 마중하러 나갔다가

　　피멍 든

　　봄

배웅하고 쓸쓸히 돌아왔습니다

느티나무 신방
- 거돈사지에서

천년 된 느티나무 움푹 팬 구멍 속에,
마른 자궁벽 같은 거기 더듬더듬 입 맞추며
오리털 침낭이라도 깔아 볼까

이끼 핀 무뚝뚝한 검은 돌에도
연꽃 송이송이 피어
눈부신데

오리털 침낭 깐 신방에 들어
없는 절[寺]벽에 어른거리는
새파란 빡빡머리
동자라도 낳아 볼까

빈집만 늘어가는 마을
아기 울음소리 사라져 허허로운 마을
천 년 동안
황홀한 폐허의 절터를 지켜온
느티나무 우듬지의
까마귀 오두막도 허물어져 휑하지만

잡초 우거진 폐사지 한 귀퉁이
망대처럼 남아 있는
천년 된 느티나무 신방에 들어

금불(金佛) 닮은 동자 하나 낳아 볼까

제3부

가을

세상의 더러움을 씻어내겠다는 마음이 허공에 매달려 시퍼렇고 길쭉하네

안으로 깊이 여물어가는 구멍뿐인 수세미, 뭐라 부를까 그 옹근 마음을

소금산

몽골 소금호수*에 갔다가
암염을 캐서 살아가는 광부들을 만났지

까마득한 옛날 바다였다가
바닷물 빠진 뒤 소금산이 된 곳
한 덩어리 암염을 얻어
혀를 대 보았더니 달더군

본래 짠 소금이 달게 되기까지
햇빛과 바람과 비와 공기
   – 맑은 시간의 풍파가
얼마나 오래 스며들었을까

젊은 날부터
신을 경외하는 노래를 불렀지만
진정 노래할 가치가 있는
소금산 앞에 공손히 두 손을 모았네

그곳을 떠나기 전

암염을 캐서 살아가는
소금 광부의 집에 초대를 받았는데
그 집 염소와 말들도
긴 혓바닥으로
달디단 신성을 핥고 있더군

* 웁스 호수.

헛꽃에 대하여

산수국 꽃을 보셨나요
꽃대 위 가장자리에 연분홍 꽃들이 몇 송이 피어 있고
가운데
보랏빛 작은 꽃 몽우리들이 촘촘히 모여 있죠

그런데
가장자리의 진짜 꽃 같은 큰 꽃들은
사실은 열매를 맺지 못하는
헛꽃들

이 헛꽃들은
벌과 나비들을 유혹하여
가운데 모여 있는 보랏빛 참꽃들의 꿀을 빨게 하고
수분(受粉)을 위해 존재할 뿐이죠

오늘 도피안사를 오르다가
불이문 근처에 만개한 산수국
헛꽃을 향해 붕붕거리며 달려드는 벌나비들 보며
문득 든 생각,

나도 저 헛꽃처럼 살 수 있을까
몇 년 전 소천하신 어머니
내 인생이 꽃 피고 열매 맺도록 헛꽃으로 사신 것처럼

꽃의 안부

꽃의 안부부터 물었다
내 안부를 묻지 않아도 섭섭하지 않았다
양봉가 김씨는 꽃을 따라 북상 중인데
지금 안산에서 꿀을 받고 있단다
뒷산을 올려다보니
아까시나무가 꽃망울을 터뜨리고 있다
곧 쏟아질 꽃비의 후광 속으로
불콰한 얼굴의 김씨가 지나가고
드문 야생벌들이 닝닝거리며 지나가고
산비둘기들도 끼룩끼룩 지나가고
지나갈 것들이 환(幻)처럼
지나간 뒤꼍을 서성이며 난
지속가능한 미래를 또 생각해 보는 것인데
이 비대해진 문명의 광휘 속에서
꽃의 안부부터 묻는 당신
심란한 음성으로
오늘 밤 야반도주하듯
아까시 꽃비 맞으러 갈 거라고
눈부신 꽃비의 후광에 흠뻑 젖으러 갈 거라고

만능열쇠

뒤란으로
자꾸 돌아가게 되는 건
돌담 옆에 핀 해바라기 때문이다
한 그루에
열 송이도 넘게 피었다
오늘처럼 찌뿌둥 흐린 날은
열 송이가
만능열쇠 같다
그 열쇠라면
못 열게 없을 것 같다
부재하는 하느님도
일식(日蝕)에 든
캄캄 세상도
못 열게 없을 것 같다
한 그루에
열 송이도 넘게 피었다

라다크

산소 희박한 공항에 내려
가쁜 숨을 몰아쉬며 드는 생각,
삶과 죽음이 요로코롬 딱 붙어 있구나

잿빛 산비탈의
야크 떼를 몰고다니는
구름 목동으로 살고 싶다는 바람은
드문 초지의 야생초 향기 때문이었던가

하염없이 걷다가 들른 오두막
박제된 문명의 때를 벅벅 문질러 씻어주는
아낙들의 해맑은 미소

지금껏 읽어온 티베트 사자의 서도 버리고
낡은 시의 필기구도 버리고
다만 저 침묵의 설산을 묘비로 삼고 싶다는

수목 한계선

인도 북부 라다크를 다녀오는 길에
　　수목 한계선을
　　넘은 일이 있었네
해발 사천오백 미터가 넘는

작은 나무 한 그루 볼 수 없었지
유목민이 몰고 다니는
　　야크 떼는 긴 혀로
　　민둥산의 마른 이끼와
잿빛 흙바닥을 핥고 있었어

그 드문 광경을 보고 있자니
이상하게 마음이 고요해지더라구
그날 난 문득
　　내 안의
　　수목 한계선을 보았어

그래, 저 한계선을 넘으면
　　끈적거리는 욕망이나

이기적 충동이나
　오랜 원한이나
적대의 나무도 자라지 못하겠구나

그런데,
그날 수목 한계선을 넘어 어렵게 도착한
카슈미르
　울울창창한 숲과
　드넓은 호수의 풍광과
　늘씬하게 빠진 미인들을 보니

민둥산의 마음공부는
　순간,
　꽝(!)이 되고 말았어

하지만 그날 민둥산의 충격은
　지금도
　잊히지 않네
곤고한 시간의 강을 건너며

고요와 평정을 잃고
마음을 애태우며 끌탕할 때마다

꽃 – 두루미

사람이 꽃으로 보이는 일은 드물지만
오늘 들판을 걷는데
새들이 꽃으로 보이더군

마른 갈대와 억새들뿐인
꽝꽝 얼어붙은 잿빛 개여울에
두루미 몇 마리
꽃으로 피어 있었어

산책자의 기척에 놀란 듯
훨훨 날아오르는
꽃 – 두루미
흐린 하늘이 활짝 개이더군

멀리 날아가
얼어붙은 웅덩이 옆에
살포시 내려앉는 꽃 – 두루미

만물이 입을 꾹 다문 침묵의 겨울에
색동의 봄이 느껴지더군

달밤의 왈츠

추적이는 가을비 탓만은 아니지만
온종일 몸이 찌뿌둥했어
밤 이슥해지니 찬비 그친 후
휘영청 달이 떴네
왜 떴냐고 물어봐야 소용없는 일
어깨에 얹히는
월금(月琴)의 리듬 따라
별서 정원에서 몸을 흔드네
피할 수 없는 운명
그냥 밟고 가려는 몸짓
수피(Sufi)처럼 돌고 돌고 돌아도
이 행성을 떠날 순 없겠지만
저 달이 뜨든 안 뜨든
춤을 멈추진 않을 거야
왜 흔드냐고 물어봐야 소용없는 일
그렇다고 춤을
생의 열쇠라고
촌스럽게 떠벌리진 않을 거야

어처구니*

아무 약속도 없이 한가해
괜히 집안을 어슬렁거리다
헛간 구석을 둘러보니
얼마나 유폐되어 있었을까
뽀얀 먼지에 덮인 맷돌
빗자루로 털고 물걸레로 닦았어
오랜 은둔 상태에 있던
어처구니도 닦아주니
나무거울처럼 반짝거리네
맷돌 앞에 아내와 마주 앉아
어처구니를 붙잡고
콩이나 녹두를 갈듯이
세상에 어처구니없는 일들도
분쇄할 수 있을까 요즘 들어
유독 부아가 치미는 일들이 많았던가
치유하기 힘든
마음의 불구를 달래며 물걸레를 빨아
어처구니를 한 번 더 닦아주네

* 어처구니: 맷돌의 손잡이.

조미아*

미얀마 북부 산악지대에
국가나 문명의 지배를 벗어난 아나키스트들
조미아와 살다 온 선교사에게 들었네.
고산지대 울울창창한 숲속의 새들처럼
노래도 할 줄 알고
소통할 언어도 있지만
그들에겐 그걸 기록할 문자가 없다고.
아카족 사람들은
적에게 쫓겨 도망가던 중 배가 너무 고파
버펄로 가죽으로 된 책을 먹어버려 문자를 잃었다고.
리후족 사람들은 그들의 신인
귀샤(Gui-sha)가 떡에 문자를 새겨 놓았는데
그 떡을 먹어버려 문자를 잃었다고.
카렌족 사람들은 화전을 일구던 중
가죽에 쓰인 문자를 나무 그루터기 위에 놓아두었는데
들짐승이 먹어버려 문자를 잃었다네.
그렇지만
그들이 노래를 할 줄 안다면
숲그늘에 둘러앉아 더러 시도 읊조릴 텐데

한 줄의 시도 남아 있지 않겠군.
흰 종이를 마구마구 낭비하는
시인도 시집도 너무 흔한 세상에
문자로 남기지 않는,
새와 꽃과 노래와 신의 숨결로만 붐비는
그들의 시는 얼마나 순결한가.

* 조미아는 동남아시아 산악지대에 사는 사람들을 가리키는 말로 '동떨어진 사람들'이란 뜻. 제임스 C. 스콧의 『조미아: 지배받지 않는 사람들』 참조.

참나무산누에나방

한여름 밤, 사랑방 앞에 켜둔
외등에
숱한 나방이 날아들었다

그 중에 유독 날개가 큰
참나무산누에나방
외등 주위를 돌며 어지럽게 퍼덕이다
흰 벽에 붙어 동작을 딱 멈추었는데

큰 날개에
눈알을 쏙 빼닮은
눈알모양무늬가 네 개나 보였다

너무 신기해
눈알모양무늬를
오래도록 쳐다보고 있는데
나방도
제 날개에 장착한 눈알들로
나를 꼽아보는 것 같았다

너무 많이 몰려드는 나방들 때문에
부득불
외등을 끄고 들어 왔지만

문득 일어나는 궁금증,
왜 나방은 저런 눈알들을 장착한 것일까
저를 보호하기 위해
가짜 눈알로 천적을 속이려 한 것일까

늦은 잠자리에 든 난
참나무 잎을 갉아먹던 어린 풍잠(楓蠶)이며
무늬뿐인
공(空)의 눈알들이
어른거려
밤새 뜬눈으로 뒤척였다

마음을 채굴할 시간

쉴새없이 뛰어다니는
벼룩처럼
온종일 정신없이 분주했어
천지사방
봄꽃들 미친 듯 피어나는데
꽃그늘에 잠시도 앉을 틈이 없었지
저물녘
서산 위에 떠오른 얼레달을 보자
내 안의 벼룩도 비로소
긴 다리를 뻗고 한숨 돌리더군
달리다가도
멈추는 법을
알만한 나이가 되었건만
그 놈의 직진의 고집 언제 꺾일까
사랑도
이별도 직진이 아닌데
이제 내 나이는 벼룩을 죽이고
천변만화하는 마음을 채굴할 시간인데

맹꽁이 우는 가을 저녁

맹꽁이 우는 가을 저녁
낮은 옥타브의 저 떨림
묵언의 별들이 내려와
마당을 서성이며 쫑긋 귀를 세우고 있네
맹꽁이 울음에 맞춰
몸을 흔들어 보다 괜히 멋쩍어
풀들의 무도장(舞蹈場)인 마당에 벌러덩 눕네
맹꽁아, 맹꽁아
아무리 읽어도 늘 배고파 헐떡이는
책벌레를 위로하러 왔니
어디 풀덤불 아래 숨어 울어도
몸이 음표인
지상의 가장 깨끗한 가인(歌人)
맹꽁아. 맹꽁아
네 무심의 노래 그치고 잠들면
나도 꿈길에 들겠네

늦가을 사과밭에서

산길을 내려오다가
산자락 끝에 걸려 있는 사과밭을 만났다
잎사귀는 다 떨어지고 사과만 주렁주렁 매달려 있었다

얼마나 잘 익었는지
사과는 저마다 불타는 태양처럼 보였다
수천수만의 태양이 매달려 있는
사과나무 가지들은
무거움을 견디지 못해
아예 땅에 주저앉아 있었다

주렁주렁 불타는 태양의 화신들을 바라보며
딱 벌어진 입을 다물지 못했다
"오 풍요 그 자체야, 풍요!"
젊어서부터 백발인 노시인이
왕방울만한 눈동자를 굴리며 소리쳤다
"따먹지 않아도 배가 부르네요."
경이에 사로잡힌 나도 맞장구를 쳤다

사과밭 가에 퍼질러 앉은 우린 잠시 넋을 잃었다
따먹지 않아도 배부른 부요,
우리가 꿈꾸는 낙원이 결핍이 들어설 곳이 없는 곳이라면
사과밭에서 그런 낙원을 보았다

우리가 꿈꾸는 하늘나라가
위선이 들어설 곳이 없는 곳이라면
알몸을 드러낸 사과밭에서
그런 감흥에 젖어들었다

뽕잎 막걸리

마른 뽕잎을 넣어 빚는 막걸리
잘 익고 있나
뽀글뽀글 익는 소리 들리나
아랫목에 이불을 덮어 놓은 술 항아리에
그녀가 귀를 대 본다

다행이지 뭐야
아직 풋내 물씬거리는
나한테 귀를 대고
이 인간 잘 익고 있나
청진해 보려 하진 않았으니

온도가 맞아야
술이 잘 익는다며
불을 더 때 달라고 해
아궁이에 장작 몇 개피 더 밀어넣는다

타오르는 아궁이 불을 살피며
생각한다,

나도 잘 익고 싶어
당신의 코와 영혼을 감미롭게 하고 싶어

●●●
●●●
제4부

군무 장롱

오랜만에 공방에서 만난
칠기공예가 양유전은 여전히 백학 같네
낡지 않고 아름답게 늙은 형이 말했어
돈과 시간과는 담쌓고 살았잖아
그래, 젊은 날 송곳 꽂을 땅 한 평 없다던
형은 지금도 월세를 내고 근근이 살고 있었어
돈과 담쌓고 살았다는 건 알겠는데,
시간과 담쌓고 살았단 건 무슨 말이야
형은 작업실 한쪽 벽에 세워진 큰 장롱을 보여주었지
35년 전에 선금 받고 만들기 시작한 장롱
아직 미완성인데 그 장롱 주인이
지금은 집도 없는 처지로 전락해
장롱이 완성되면 그냥 어디든 기증하라고 했어
그래, 속세의 시간과도 담을 쌓은
군무(群舞) 장롱
그 옻칠된 검은 시간 위로 거북이들 헤엄치고
꽃사슴들 경중경중 뛰어다니고
수백 마리 백학들이 군무를 추고 있었네

눈밭 위의 측은지심

된장 뜨러 갔던 옆지기는
장독대 뒤 소나무와 목단나무 밑
눈밭에 찍힌 고라니 발자국을 보았답니다

얼마나 굶주렸으면 도둑처럼
돌담을 훌쩍 뛰어넘어
여기까지?

옆지기는 김장하고 나서 엮어 매단
무청 시래기와 길냥이 사료
사과까지 숭숭 썰어서 나뭇가지에 매달아 주었습니다

사흘이 지났는데
새들만 지즐지즐 모여들어 눈밭에 던져준
길냥이 사료와 사과를 쪼아먹고
고라니는 다시 온 흔적이 없었습니다

하지만
옆지기의 측은지심은
굶주린 고라니 발자국 속에
햇귀처럼 따뜻하게 고여 있었습니다

봄의 마법

매화나무 가지에
연둣빛 몽우리가 통통하게 부풀고 있네
쉽게 흥분하고 감탄하고 절망하는,
나를 멈칫하게 하는
저 봄의 색조

단 한 번도 본 적이 없는 것 같은
저 신비로운 불멸의 마술 앞에
놀라지 않은 척 잠시 걸음을 멈추고
마술사의 거친 몸을 쓱쓱 쓰다듬어 보네

아무도 초대하지 않은 봄이
내가 사는 골짜기를 물들이기 시작했으나
개여울엔 지난겨울의
허연 얼음조각들이 봄을 비웃고 있네

텅 빈 산밭 위를 날던 까마귀 떼,
연둣빛 봄이 드리운
나뭇가지 위에 일제히 내려앉네

갑자기 뜀뛰는 내 심장도 그 위에 매달리네

출렁출렁, 흔들리는 우주에
나와 함께 매달린
까마귀 떼가
의심 많은 내 귀에 속삭이네

믿어도 되네, 자네가 모르는
연둣빛 후광을 드리운 저 마법은!

바위의 응원

산 정상이 지척인데
바로 밑에 있는 큰 너럭바위가 좋아
엉덩이 붙이고 앉아 지상을 굽어보다 돌아오곤 하네

어느 날은 나보다 먼저 바위를 차지한
칡덩굴 어린 순이,
어느 날은
젖은 몸 말리려는 꽃뱀이,
또 어느 날은
적요가 떡하니 앉아 있었지

주인이 따로 없는 바위,
어쩌다 내가 바위의 주인이 된 날
풍요로운 진창이 된
세상을 내려다보고 있었네

골고루 가난해진 세상을 꿈꾼다는
말을 어디서 했다가 본전도 못 추렸지만
햇볕에 예열된 바위가

엉덩이를 덥혀주며 날 응원했어

– 야생의 맑은 근원을 기억하는
  널 지지해
  네 꿈과 내 꿈은 다르지 않아

하산길,
산을 올라올 땐 기분이 떨떠름했는데
금도 넓은 바위의 다독임 덕에
휘파람새처럼
호르르호르르 휘파람 불며 하산할 수 있었네

금각사

어미 뱃속의 태아처럼
양수(羊水) 같은 호수에 잠겨 있는
금빛 사원에 홀려
내 마음도 한참 물속을 허우적거렸다
저 호수와 사원과 소나무들이
잘 어우러진 풍광을 설계하고
건축한 이의 궁리를 떠올려보느라
걸음은 더 지체되었다
내 눈길과 걸음을 오래 머물게 한
매혹의 금빛 탑
(무릇 탑을 짓는 마음이란
일방으로
하늘에 닿고자 함이 아니라
저 또한
하늘임을 깨우쳐 아는 마음인데!)
내 눈동자 속의
사원마저
제 심연으로 끌어들인 호수는
영소(靈沼)가 아닐 건가

그걸 보고 천천히 돌아서는데
노을 지던
해넘이가 새롭고
호수를 반지 낀 듯이
돌고 돌고 돌던
연인들이 새롭고
황혼의 물결 위로 끼룩대던 새들이 새롭고

겸상에 보금자리 틀고 싶다

원치 않는 돌림병 손님이 들어와
보금자리를 틀었다
언제 어떻게 들어왔는지
언제 떠날지 아무도 모르네

먼저 몹쓸 손님을 품에 들인 적이 있는
옆지기가 조심해야 한다며
혼밥을 하자네

벌써 사흘째, 아궁이에 불 지피다가
옆지기에게 받은 소찬의 밥상을
아궁이 옆 댓돌 위에 올려놓고 몇 술 뜨는데
괜히 목이 메이네

일찍 뜬 달님이
밥상을 내려다보길래
겸상을 권하며 나무젓가락을 건네네

잘 안 넘어가는 밥 혼자 꾸역꾸역 삼키고

쪽마루에 빈 상을 올려놓으니
길냥이 두 마리 다가와 잔밥을 기웃대네

잡스런 세상사 벗어나
내적인 독거(獨居)를 익히라지만
고독의 혼밥보다는

이따금
티격태격 말주먹질하더라도
마주앉는 겸상에 보금자리를 틀고 싶구나

박주가리

가장 아름다울 때는
한겨울 나무 우듬지에
표주박 같은 열매로 매달려 있을 때야

두툼한 껍질이 반으로 쪼개져
새가 되고 싶은 꿈을 꾸는 듯
흰 깃 같은 것이
툭 삐져나와 하늘로 날아오를 듯
나풀나풀거릴 때야

저 눈부신 흰 깃에
우화등선의 꿈을 포개며
얼어붙은 심장이 따숩게 덥혀지는 오늘 같은 날이
일 년 중 과연 몇 날이나 될까

하지만 무얼 더 바라리
방한외투 껴입은 구름도 내려와 쉬어가는
저 고요의 우듬지에 눈길이 닿아
낙원 한 조각을 맛보았는데

팔팔한 청춘

북카페 빌려 어울리는 경전 읽기 모임
새로 나온 벗에게
나이가 몇이냐고 물었다
"서른두 살이에요."
"팔팔한 청춘이군."
달포쯤 먼저 나온 벗에게
나이가 몇이냐고 물었다
"마흔 아홉이에요."
"팔팔한 청춘이군."
그녀가 어리둥절한 표정으로 항변했다
"이제 곧 쉰내가 날 텐데요.
어떻게 서른둘하고 마흔아홉이 똑같이
팔팔한 청춘일 수가 있죠?"
잠시 껄껄껄 웃다가 대답했다
"그대들 안에 계신
하느님은
언제나 팔팔한 청춘이시거든!"

개자리

구들방의 고래를 새로 놓고 나서
굴뚝 세울 자리에도
개자리를 팠네
살아 있는 개를 데려다 앉혀 볼 수도 없고
개처럼 내가 웅크리고 앉아
그 용적을 가늠하고 개자리를 팠네

드디어 높다란 굴뚝을 다시 세우고
아궁이에 불을 지피니
개자리를 통과한 푸른 연기가 풍풍 솟구치네

이슥한 밤
연인과 함께 뜨끈한 구들방에 누워
등을 지지며
개자리, 천문도에도 없는
새 별자리 하나 새겨 넣네

그날 밤 죽은 듯 잠이 들었어
고요의 주추 같은

새 별자리 쪽으로 머리를 두고

흐흐 개처럼 웅크리고 잤어 아주 달게 잤어

룽타

부탄 여행 다섯째 날
  고산증에 좀 적응이 되어
  해발 4천 미터
첼레라 고갯마루에 올랐지

너무 숨이 가빠 길가에 털썩 주저앉았는데
내 머리 위로
  숱한 오색 깃발의 룽타가
  돌풍에 찢어질 듯 흔들리고 있었어

'바람의 말'이라는 뜻의 룽타
펄럭이는 오색 천마다
  소원을 담은 만트라나
  불교 경전의 글귀들이 적혀 있었지

지구학교에서
  종교는
  끝장난 과목이라는데
이 땅엔

아직 순박한 신심이 펄럭이누나

지금 내 눈앞에서 찢어질 듯 펄럭이는
오색 천마다 새겨진 저 경구들
    바람이 읽고 누군가에게 전한다지만
    난 바람의 말을
    도통 알아들을 수가 없었는데

펄럭이는 룽타 밑으로
어린 흑소 한 마리가 갑자기 나타났어
    얼마나 반갑던지

히힝~히이힝대는
흑소의 만트라를 난 즉시 알아듣고
    풀을 뜯어
    입에 넣어주니
덥석덥석 잘도 받아먹더군

지금도 온 세상이 고요해져

청량리행 기차를 탔는데
맞은편에 앉은 젊은 아낙이
퉁퉁 불은 젖을 불쑥 꺼내
칭얼대는 아기 입에 물리는 걸 보았네
(요즘은 몹시 보기 드문 광경!)
사랑스런 눈길로 아기를 내려다보며
젖을 먹이는
아기 엄마와 눈길 마주치면
쑥스러워 할까봐
얼른 차창으로 눈길을 돌렸는데,
문득
차창엔 여섯 살이 되도록
젖을 물려주시던
엄니 얼굴이 어른거렸네
바짝 말라붙은
야윈 젖, 하지만
그 따스한 온기
그 부드러운 촉감

그 젖을 빨고 있다고 생각하면
지금도 온 세상이 고요해져

굴리면 기꺼이 굴러가리

산행 마치고 돌아오는 길
논둑을 가로질러 오는데
빈 논바닥을 굴러다니는 우렁이들이 보인다

유기농을 위한 소임을 다 마치고
물 빠진 마른 논바닥에
죽은 우렁이들
늦가을 찬바람이 굴리고 또 굴린다

속 빈 껍질을 들고 들여다보니
꼭 나를 보는 것 같다

텅텅 빈 집 같은 나를
나보다 힘센 누가 있어
굴리면 굴러가야 하리

힘없이 굴러가는 게 좀 서럽지만
뼛속까지 비워 가벼이 하늘을 날 수 있다는
새를 생각하면

골다공(骨多孔)의 이 시절을
기쁘게 받아들여야 하리
나보다 힘센 누가 있어
굴리면 기꺼이 굴러가야 하리

동돌미

돌 많은 동네에 살다 보니
돌로 담을 쌓고 돌로 집도 짓지만
돌이 떡으로 변하는 기적은 바라지 않네

인간이 돌도끼로 사냥할 때가 가장 진화한 상태였다는
어느 인류학자의 말에 동의하지만
돌도끼를 들고 자본의 시장으로 사냥을 나가진 않네

돌이 많아 동돌미라 불리는 동네에 살지만
네가 입을 열지 않으면 돌들이 소리 지르리라는 성인의 일
갈도 들리지만

와글와글 함부로 떠들지 않는 돌
갈수록 퇴화하는 인간을 구제할 방법이 없다고
떠벌리지 않아 더 믿음직스런 돌

맛난 연두에 물들면

농업박물관 뒤 산자락을 걷다가 왔지요
겨우내 그리워하던 연두
봄나물을 먹을 만큼 뜯어 왔어요
반색을 하는 아내 손에서
요리가 된 봄나물이
저녁 식탁을 푸릇푸릇 물들였지요
격리 시절이라
누에고치 속 같은 생활이지만
맛난 연두에 물들면
더 바랄 게 없지요
부엌을 나오다
낮은 문틀에 이마를 찧기 일쑤지만
맛난 연두에 물들면
더 바랄 게 없지요

모성의 영성을 빚어내는 손

이 경 호 평론가

1. 사막의 눈

서아프리카 모리타니의 사하라 사막 부근에는 "지구의 눈"이라 불리는 지형이 존재한다. "리차트 구조(Richat Structure)"라고도 불리는 이 지형은 지상에서 맨눈으로는 전체 모양을 파악할 수가 없다. 지름이 무려 40킬로미터에 면적은 서울특별시의 절반이나 되기 때문이다. 따라서 이것을 보려면 우주선이나 인공위성을 타고 지구 대기권의 상층부로 올라가야만 한다. 동심원의 독특한 형상을 간직한 지형의 특징 때문에 지구의 눈이라는 명칭을 갖게 된 듯하다. 그런데 지구의 눈이 하필이면 사하라 사막 부근에 자리 잡고 있다는 사실이 매우 상징적으로 여겨진다. 그것은 어쩌면 눈과 관련된 현대문명의 어떤 특징이 사막화와 같은 지구 환경의 위기를 초래한 현실을 환기해 주는 듯하다. 그렇다면 그런 지형과 연관된 현대문명의 특징이란 무엇일까?

2. 후투티의 눈과 참나무산누에나방의 날개

고진하의 시세계는 오랜 세월 동안 그러한 문명의 특징을 주목하는 상상력을 펼쳐왔다. '눈'의 이미지로 형상화되고 있는 그런 상상력의 내용을 살펴보기로 하자.

> 하늘을 찌를 듯 솟구친 마천루 숲속, 아크릴에 새겨진
> '조류연구소'란 입간판 아래
> 검은 점이 또렷이 빛나는 눈부신 황금빛 관(冠)을 뽐내며
> 쏘는 듯 노려보는 후투티 눈빛이
> 이상한 광채를 뿜는다. 캄캄한 무덤들 사이에서
> 새어나오는 섬뜩한 인광(燐光) 같은
>
> 푸른 광채. 인공의 눈알에서 저런, 저런 광채가
> 새어나오다니.
> 짚이나 솜 혹은 방부제 따위로 가득 채웠을 박제된
> 후투티, 하얀 고사목 뾰족한 가지 끝에
> 실처럼 가는 다리를 꽁꽁 묶인 채, 그러나
> 당당한 비상의 기품을 잃지 않고 서 있는, 저 자그마한 새에 끌리는
> 떨칠 수 없는 이 매혹감은 무엇인가
>
>   - 「껍질 만으로 눈부시다, 후투티」 부분, 시집 『프란체스코의 새들』

한여름 밤, 사랑방 앞에 켜둔
외등에
숱한 나방이 날아들었다

그 중에 유독 날개가 큰
참나무산누에나방
외등 주위를 돌며 어지럽게 퍼덕이다
흰 벽에 붙어 동작을 딱 멈추었는데

큰 날개에
눈알을 쏙 빼닮은
눈알모양무늬가 네 개나 보였다

…(중략)…

문득 일어나는 궁금증,
왜 나방은 저런 눈알을 장착한 것일까
저를 보호하기 위해
가짜 눈알로 천적을 속이려 한 것일까

늦은 잠자리에 든 난
참나무 잎을 갉아먹던 어린 풍잠(楓蠶)이며
무늬뿐인

공(☆)의 눈알들이

어른거려

밤새 뜬눈으로 뒤척였다

- 「참나무산누에나방」 부분

먼저 인용된 작품은 고진하 시인의 전반기 시세계를 대표할 만한 1990년대 초반에 출간된 두 번째 시집에 수록된 것이며, 나중에 인용된 작품은 이번에 출간되는 시집에 수록된 것이다. 30여 년의 세월을 마주한 두 시편은 '눈'을 소재로 삼은 점 말고도 여러 가지 공통점을 보여주는 동시에 차이점도 드러내고 있어서 주목할 필요가 있다. 먼저 공통점을 살펴보면 고진하 시인이 가장 사랑하는 자연에서 살아가는 생명체를 작품의 소재로 삼고 있다는 사실부터 꼽아야할 것이다. 그런데 더욱 중요한 공통점은 두 존재가 모두 시인에게는 자연스럽거나 진실한 생명체의 특징을 구현해 보이지 않는다는 사실이다. 후투티는 박제된 눈을 보여주고 있으며 참나무산누에나방은 진짜 눈이 아니라 눈 모양의 날개 무늬를 보여주고 있다. 그런데 이런 공통점과 관련해서 고진하 시인의 작품세계가 꾸준하게 눈의 감각을 활용하거나 강조하는 특징을 제시해 왔다는 사실도 주목할 필요가 있다. 그는 시각 작용을 집중적으로 활용하는 관찰의 시인이기도 하지만 보다 중요하게는 '마음의 눈'을 강조하는 작품세계를 구축해 온 시인이기도 하다. 마음의 눈으로 그는 외부의 형상을 내부의 진실로 이끌어가는 시적 상상력과 주제 의식을 구현해 온 셈이다. 이런 상상력과 주제 의식을 나는 그의 두 번째 시집 해설의 제목으로 삼아 "견성(見性)의 시학"이라고 일컬은 바 있기도 하다.

　본래 견성이란 낱말은 불교에서 강조하는 수행의 이치이다. 마음이 곧 부처이므로 마음의 본바탕을 깨달아 부처가 되는 것이 선종(禪宗)의 근본적인 목표인 셈이다. 따라서 견성이란 마음을 대상으로 삼아 존재의 본바탕을 깨닫는 것인 바, 사람을 포함해서 자연에서 살아가는 모든 생명체의 본바탕을 깨닫는 작업을 고진하 시인은 꾸준하게 지속해왔다. 그는 감리교 신학대학을 졸업하고 오랜 세월 동안 목사로 봉직해 왔지만 불교를 비롯하여 도교와 인도철학에도 많은 관심을 경주하면서 그의 삶과 시세계가 종교의 경계를 뛰어넘었으니 견성의 시학도 그런 개방과 통합의 정신에서 비롯되었을 것이다.

　그렇다면 앞에서 인용한 두 작품의 차이점은 무엇일까? 보다 구체적으로 말해서 박제된 후투티의 눈을 바라보는 고진하 시인의 마음과 참나무산누에나방의 날개에 새겨진 눈알모양무늬를 바라보는 마음의 느낌은 어떻게 다를까? 그 차이점은 바로 "떨칠 수 없는 매혹감"과 "밤새 뜬눈으로 뒤척"인 마음의 느낌으로 표현되어 있다. 후투티에 대한 매혹감은 "인공의 눈알에서" 뿜어져 나오는 "이상한 광채"에 대한 것이다. 그것이 박제되었을 뿐인 죽어버린 몸체의 일부라는 사실을 인지하면서도 "빛나는 눈부신 황금빛 관(冠)을 뿜내며/쏘는 듯 노려보는 후투티 눈빛"이 주는 화려한 입체적 실감에 매료당하는 마음을 주체하기가 어려운 것이다.

그 매혹감은 어쩌면 현대문명 중에서도 첨단의 영상매체가 제공하는 이미지에 대한 호감과 실감을 환기해준다. 그 이미지가 실체가 없는 환상에 불과하다는 사실을 알고 있으면서도 살아있는 생명체가 보여주는 것보다 더 사실적인 형상으로 움직이는 헛것에 매혹당하는 마음을 고쳐잡기가 어려운 것이다. 진짜보다 더 진짜 같은 가짜에 이끌리는 마음을 박제된 후투티의 눈빛에서 읽어내는 시인의 시선은 경이로움과 찬탄에서 헤어나기가 수월하지 않아 보인다.

그에 반하여 참나무산누에나방의 "큰 날개에/ 눈알을 쏙 빼닮은/ 눈알모양무늬"를 바라보는 고진하 시인의 시선은 "너무 신기해"하는 첫 느낌으로부터 "문득 일어나는 궁금증"의 단계를 넘어서 "밤새 뜬 눈으로 뒤척"이는 착잡함과 번뇌의 마음을 이끌어 낸다. 그러한 마음의 이동을 촉발하는 참나무산누에나방의 "가짜 눈알"을 고진하 시인은 "공(空)의 눈알들이/ 어른거"리는 현상이라고 표현해 본다. 눈알의 형상이 둥글다는 사실에 착안하여 둥근 공과 텅 비어있는 공(空)을 일체화하는 마음은 가짜 눈의 실체를 일깨우려는 의지를 뛰어넘어 눈으로 보는 시각 작용의 부질없음을 일깨워 준다. 어쩌면 눈으로 본다는 것은 실체를 파악하고 누리는 것과는 다른 존재 현상이 아닐까, 이런 회의도 들었을 법하다.

그런 점에서 이번에 펴내는 시집의 서두에 실린 「시인의 말」에서 "난 촉감의 신[Epaphus]처럼 흙 주무르기를 좋아한다네" 라고 밝힌 고진하 시인의 고백을 눈여겨볼 필요가 있다. 그 고백이 오랜 세월 동안 자신을 포함한 인간과 자연을 대상으로 삼아서 펼쳐 보인 '견성의 시학'과 조금 다른 시쓰기의 방법론을 제시해주고 있는 듯하기 때문이다. 그런 방법론이 무엇인지 지금부터 살펴볼 셈이다.

3. 거인의 어깨와 난쟁이

요즈음 세간에서 "거인의 어깨"라는 용어가 입시학원 이름에서부터 펀드 회사나 디자인 회사의 명칭, 또는 베스트셀러의 제목으로도 자주 사용되고 있다. 이런 명칭이 세상에 널리 알려지게 된 데에는 영국의 과학자인 아이작 뉴턴의 영향력이 크다. 그가 유럽의 과학계에 혁명을 일으킨 만유인력의 법칙을 밝힌 저서 『프린키피아』를 1687년에 발표하고 나서 위대한 발견에 대한 찬사가 잇따르자 "나는 거인의 어깨 위에 올라섰을 뿐"이라는 겸손한 소감을 밝힌 사실이 결정적인 계기로 작용한 셈이다. 이때의 거인이란 뉴턴보다 앞선 시대의 뛰어난 과학자나 철학자들, 이를테면 코페르니쿠스와 갈릴레오, 그리고 데카르트와 같은 인물들을 가리키는 말일 것이다.

그런데 사실 "거인의 어깨"라는 말은 "거인의 어깨 위에 서 있는 난쟁이"라는 비유적인 표현에서 비롯되었다. 이런 표현을 최초로 사용한 장본인은 12세기 프랑스의 수도사였던 사르트르의 베르나르였는데 후대에 이르면서 이 비유적인 표현은 거인이 상징하는 고대의 지식체계나 업적을 난쟁이가 상징하는 근대의 지식체계나 업적과 비교하는 관점에서 자주 인용이 되었다. 오늘날에는 이탈리아의 작가이며 기호학자인 움베르토 에코가 주장하듯이 거인의 어깨 위에서 더 멀리 세상의 이치를 바라볼 수 있는 난쟁이의 유리한 입장이 지지를 받고 있는 편이다. 앞에서 거론한 입시학원과 같은 여러 분야의 명칭들이 모두 그런 주장을 품고 있을 법하다. 하지만 최초의 발언자인 베르나르나 뉴턴이 그랬던 것처럼 거인의 식견에 비하면 아직 부족해 보이는 난쟁이의 식견을 고백하는 겸손한 입장들도 존재해 왔다. 그들 중에는 16세기 프랑스 철학자인 몽테뉴처럼 과학의 진보에 대한 회의나 근심을 토로한 인물들도 있었다. 급격한 과학의 진보가 혹시 보편적이며 근원적인 가치를 훼손하거나 상실해 버리는 것은 아닌지를 반성해 보는 입장 때문이었을 것이다.

4. 난쟁이의 눈과 거인의 다리

그런데 거인과 난쟁이의 비교에서 혹시 다른 관점이 논의될 수 있지는 않을까? 오랜 세월 동안 서양의 지식인들은 눈이라는 시각 작용의 효과에서 거인의 어깨를 딛고 서서 거인보다 멀리 바라볼 수 있는 난쟁이의 능력을 논의해 왔는데 그런 논의 과정에서 중요한 사실이 간과되고 있기 때문이다. 그런 사실에 관하여 나는 이런 지적을 한 바 있다. "고대인의 업적과 근대인의 업적이 비교될 때 비교의 대상이 되었던 육체의 부분은 눈이었다. 그런데 실제로 난쟁이가 거인보다 더 멀리 바라볼 수 있는 능력을 위하여 필수적인 역할을 하는 것은 거인과 난쟁이를 이어주는 다리의 역할이다. 난쟁이가 거인보다 더 멀리 바라보기 위해서는 거인보다 높은 위치에 난쟁이가 서

있도록 받쳐주는 거인의 다리가 필요하다. 난쟁이의 다리와 거인의 다리는 수직으로 이어지면서 난쟁이의 눈이 멀리 바라볼 수 있는 위치를 마련해준다. 이때 재미있는 사실은 거인의 눈과 난쟁이의 눈은 수평의 위치에서 서로 분리되고 비교될 만한 각자의 기능을 갖게 되는 반면에 거인의 다리와 난쟁이의 다리는 대지를 향하여 수직으로 버티면서 하나로 이어져 분리될 수 없는 공동의 역할을 감당하고 있다는 점이다."(『문학의 현기증』 31~32쪽)

이런 관점이 배려된다면 서로의 다리를 이어주면서 굳건하게 다리를 받쳐주는 대지의 역할과 가치를 새삼스레 주목하지 않을 수가 없다. 뉴턴의 겸손과 몽테뉴의 근심은 모두 대지라는 자연의 기반을 굳게 내딛고 있는 거인보다 다소간 멀어진 위치에 서 있는 난쟁이의 관찰력과 지혜를 부족하게 여기는 마음가짐에서 비롯되었을 것이다. 대지가 대표하는 자연이 지혜로움의 근본이고 출발점이어야 하므로. 그런 점에서 자연을 대표하는 대지에 가장 가까이 접근하거나 몸을 붙이려는 생명체의 모습을 우리는 주목하지 않을 수가 없다.

마을 어귀 넓은 양파밭
푸른 양파 잎들이 일제히 옆으로 자빠져 있었다
어, 이거 무슨 일?
볕이 너무 뜨겁고 가물어서 그런가

마침 밭 주인이 밭가에서 풀을 베고 있기에

가까이 다가가서 물었다

왜 저렇게
푸른 양파 잎들이 일제히 드러누웠죠

저걸 도복(倒伏)이라 그러는데유
양파는 저렇게 옆으로 쓰러지면서
열흘 안에 수확해야 될 때가 되었다
는 걸 알려주는 거예유
저 죽을 때를 모르는 사람보다 낫지유

- 「현자(賢者) 양파」 부분

　양파가 보여주는 '도복(倒伏)의 몸짓'은 현대사회에서 우리가 잃어
가는 지혜의 근본과 가치를 환기해 준다. 그 몸짓은 단지 새로운 세
계를 찾아내기 위하여 멀리만 바라보려는 능력을 추구하는 현대인
의 시선을 대지가 자리 잡은 아래쪽으로 돌리도록 회유해 보는 듯
하다. 무엇보다 그것은 눈을 통한 시선이 아니라 몸을 통한 행동으
로 삶의 근본을 깨우치고 누리는 방법을 몸소 구현해 보인다. 그 몸
짓은 멀리 보려는, 오로지 새로운 지식을 깨우치려는 열망으로 거인
의 어깨를 탐하고 거인의 어깨 위에 올라선 난쟁이의 어깨를, 그리
고 그런 난쟁이의 어깨 위에 올라탄 또 다른 난쟁이의 역할이 초래
하는 악순환을 경계하는 것이 아닐까? 혹시 오늘날의 과학과 학문의
열정이란 끝없는 '바벨탑의 높이'에 탐닉하다 지켜야 할 자연의 경계

를 넘어서 버린 운명을 초래하고 있는 것은 아닐까? 그런 의혹과 반
성 속에서 다음의 시편을 눈여겨보기도 한다.

인도 북부 라다크를 다녀오는 길에
　　수목 한계선을
　　　넘은 일이 있었네
해발 사천오백 미터가 넘는

작은 나무 한 그루 볼 수 없었지
유목민이 몰고 다니는
　　야크 떼는 긴 혀로
　　　민둥산의 마른 이끼와
잿빛 흙바닥을 핥고 있었어

그 드문 광경을 보고 있자니
이상하게 마음이 고요해지더라구
그날 난 문득
　　내 안의
　　수목 한계선을 보았어

- 「수목 한계선」 부분

이 시편에 표현되고 있는 "수목 한계선"은 여러 가지 존재의 경계
를 환기해 주는 상징으로 떠오른다. 그것은 자연 속에 존재하는 삶

과 죽음의 경계를 확인해 주는 상징이지만, 그것이 "내 안의 수목 한
계선"이라는 점에서 무성하게 자라나는 욕망과 고요한 체념의 경계
를 확인시켜 주는 상징으로 작용하기도 한다. 울창하게 자라나는 수
목이 바벨탑처럼 위로만 솟구치는 욕망의 상징이라는 점에서 "민둥
산의 마른 이끼와/ 잿빛 흙바닥"은 현대문명이 초래한 자연의 황폐
와 고사 상태를 상징할 수도 있을 것이다. 그런데 그러한 민둥산과
잿빛 흙바닥에서 고요한 마음의 상태를 확인하는 결과는 또 다른 가
능성을 일깨워 준다. 그것은 어쩌면 흙과의 친연성일지도 모른다.
그리고 그 친연성은 마음을 가라앉히거나 지우면서 몸의 새로운 가
능성을 일깨우는 역할을 감당하는 것일지도 모른다.

5. 흙 주무르기를 좋아하는 손

이번 시집의 강력한 주제로 떠오르는 것은 어쩌면 마음과 몸의 경
계일 수도 있다. 책을 읽고 말씀을 전하고 시를 쓰는 인간에게 가장
집중적으로 사용되는 도구는 생각이나 마음일 것이다. 고진하 시인
의 시쓰기가 꾸준하게 '견성의 시학'을 추구해 왔다는 점에서 생각이
나 마음은 가장 소중하며 유용한 시쓰기의 밑천이 될 수밖에 없다.
그런데 바로 그런 생각이나 마음이 덫이 되거나 올무로 작용할 수도
있는 법이다. 그리고 바로 그럴 때 다음과 같은 해결책이 떠오르는
법이기도 하다.

숱한 생각이 꼬리에 꼬리를 물어도

그 꼬리 어디서도

시(詩) 한 잎 발아하는 일은 드물지

그래서

자르고 또 잘라도

거듭 돋아나는

도마뱀 꼬리 같은 생각의 손에

괭이 한 자루 쥐어 주고

봄볕 아른거리는 텃밭으로 내몰았지

너 구슬땀 좀 흘려봐

네 괭이질에 토막토막 잘린 채

꿈틀대는 지렁이들과 입맞춰 봐

네 눈에 보이잖는 땅 속

미생물들과 으밀아밀 통화해 봐

생각의 폭풍이 좀 잦아들 거야

눈에 보이는 것밖에 볼 줄 모르는

사람의 소리가 아니야

텃밭 가 파룻파룻 새순이 돋는

꾸지뽕나무의 말없는 말씀이야

- 「꾸지뽕나무의 말씀」 전문

이 작품에서 "꼬리에 꼬리를" 무는 생각에 대한 집착을 과감하게 포기하는 결단을 초래한 것은 '손'으로 대표되는 몸이다. 그리고 몸을 불러낸 손이 돌파구를 찾아낸 곳이 '텃밭'이다. 책이나 원고지나

144

컴퓨터 화면에 눈과 생각으로만 집중하던 태도가 손을 찾아내서 몸을 대지로 끌어낸 것이다. 이 발상의 전환은 멀리 보는 일에만 분주하던 난쟁이의 시선이 아래쪽으로 방향을 바꿔서 자신이 딛고 있는 대지의 가치를 찾아낸 결과와 비슷해 보인다. 난쟁이는 아예 거인의 어깨에서 내려와 자신의 두 다리로 대지와 직접 접촉하는 방법을 선택한 것이다. "눈에 보이는 것밖에 볼 줄 모르는 사람의" 입장을 뒤로 미루어 놓고 땅과 직접 접촉하면서 시를 쓰거나 인생의 보람을 챙기는 길을 찾아 나서게 된 것이다.

눈이나 생각이 아니라 손으로 몸을 부려내는 일을 찾아 나서고 그 대상을 땅으로 삼아버린 상황 속에서 주목할 점은 손과 흙의 접촉 효과이다. 이미 시집의 머리말에서 "흙 주무르기를 좋아한다"고 고백한 바 있는 고진하 시인은 시집의 본문에서 본격적으로 흙과의 교감 효과를 토로한다.

> 옹기장이도 아니고
> 어설픈 농부지만
> 흙 주무르기를 좋아한다네
> 환상보다는
> 육체를 더 신뢰하기 때문이지
>
> 마주 앉아 깍지 낀 연인의 보드라운 손처럼
> 흙의 온기와 내 체온이 섞일 때

…(중략)…

세상의 어떤 감각 재료보다

촉감을 충족시켜 주는 진흙이 좋네

- 「만물의 자궁, 진흙이여」 부분

이 작품에 표현되고 있는 손과 진흙의 어울림은 연인의 육체적 교
감에 비유되고 있는데, 관능적인 분위기를 만들어 내는 몸의 접촉은
손을 남성의 신체로, 그리고 진흙을 여성의 신체로 대상화하여 어울
리게 만들어 놓는다. "진흙"을 "자궁"에 비유한 점도 그런 사실을 입
증해 준다. 이런 어울림의 효과는 두말할 나위도 없이 사랑의 쾌감
과 결실을 초래하는 법이다. 그 결실이란 구체적으로 생명의 창조와
같은 것이리라. 자궁에서 태어나는 생명체가 예술가에게는 작품에
해당할 것이다. 그런데 고진하 시인에게 손을 통한 진흙과의 교감은
작품을 창조하는 이상의 기쁨과 보람을 안겨주는 작업으로 여겨진
다. 손을 통한 교감 효과를 워커 비넘이라는 신학자는 『어머니 예수』
라는 책에서 "사랑의 영성"이라는 개념으로 설명해 보이는데, 육체
적 접촉의 중요성을 강조하는 그 책에서 비넘은 "예수의 모성적 이
미지에 근거한 사랑의 영성은 사랑하고, 보살피고, 기른다"(정화열,
『몸의 정치와 예술, 그리고 생태학』, 195쪽)고 주장한다. 고진하 시인도
진흙과의 교감에서 그러한 육체성의 역할을 무의식적으로 감당하
고 싶었는지도 모른다. 낳아서 사랑하고 보살피고 기르는 사랑의 영
성이야말로 자연을 훼손해 버린 현대문명의 환경 속에서 우리가 점

점 잃어버리고 있는 것이기도 하다.

6. 헛꽃의 상징

그런데 진흙과의 육체적 교감이 사랑의 영성으로 구현되는 사례
가 독특한 꽃의 이미지로도 표현되고 있어서 이채롭다.

산수국 꽃을 보셨나요
꽃대 위 가장자리에 연분홍 꽃들이 몇 송이 피어 있고
가운데
보랏빛 작은 꽃 몽우리들이 촘촘히 모여 있죠

그런데
가장자리의 진짜 꽃 같은 큰 꽃들은
사실은 열매를 맺지 못하는
헛꽃들

이 헛꽃들은
벌과 나비들을 유혹하여
가운데 모여 있는 보랏빛 참꽃들의 꿀을 빨게 하고
수분(受粉)을 위해 존재할 뿐이죠.

오늘 도피안사를 오르다가

불이문 근처에 만개한 산수국

헛꽃을 향해 붕붕거리며 달려드는 벌나비들 보며

문득 든 생각,

나도 저 헛꽃처럼 살 수 있을까

몇 년 전 소천하신 어머니

내 인생이 꽃 피고 열매 맺도록 헛꽃으로 사신 것처럼

- 「헛꽃에 대하여」 전문

　자궁과 꽃은 여성의 생식기를 상징하는 이미지로서 창조와 사랑의 역할을 감당한다는 공통점을 간직하고 있다. 그것은 감싸 안으면서 보호해 주는 모양과 기능을 간직하고 있기도 하다. 그런데 창조를 통한 사랑의 가장 큰 비밀은 헌신과 자기희생의 역할을 포함하고 있다는 점이다. 어쩌면 헛꽃은 시를 포함하여 문학이나 예술이 감당해야만 하는 삶에 대한 역할을 절실하게 환기해 주고 있는지도 모른다. 직접 열매를 맺지 못하는 헛꽃처럼 문학이나 예술도 삶에 직접적인 쓸모를 제공하기보다 간접적인 쓸모를 제공하기가 쉬울 것이다. 그렇지만 그러한 쓸모가 사실은 무엇보다도 소중하고 절실한 쓸모라는 사실을 자기희생의 본보기인 어머니의 사랑이 입증해 준다. 결국 손을 통한 육체적 교감으로 모성적 사랑의 영성을 실현하는 가장 중요한 방법이 자기희생을 통한 양육이라는 사실을 산수국 헛꽃이 상징해 주고 있는 셈이다.

그런데 자기희생을 통한 양육의 이치는 문자와 시쓰기의 존재 가치와 역할이 무엇인지를 되새겨 보는 계기를 제공할 때도 있다.

미얀마 북부 산악지대에
국가나 문명의 지배를 벗어난 아나키스트들
조미아와 살다 온 선교사에게 들었네
고산지대 울울창창한 숲속의 새들처럼
노래도 할 줄 알고
소통할 언어도 있지만
그들에겐 그걸 기록할 문자가 없다고
아카족 사람들은
적에게 쫓겨 도망가던 중 배가 너무 고파
버펄로 가죽으로 된 책을 먹어버려 문자를 잃었다고

…(중략)…

그렇지만
그들이 노래를 할 줄 안다면
숲그늘에 둘러앉아 더러 시도 읊조릴 텐데
한 줄의 시도 남아 있지 않겠군.
흰 종이를 마구마구 낭비하는
시인도 시집도 너무 흔한 세상에
문자로 남기지 않는,

새와 꽃과 노래와 신의 숨결로만 붐비는

그들의 시는 얼마나 순결한가.

- 「조미아」 부분

인용된 작품의 제목인 "조미아"는 "동떨어진 사람들"이란 뜻인데, 그런 의미 자체가 시의 근원적 존재 의미는 무엇일까를 되새기게 해준다. 문자를 잃어버리는 바람에 그 문자로 기록하여 존재 가치를 남기고 인정받을 수 있는 시의 존립 근거를 상실해 버린 시대의 열악한 환경이 역설적으로 가장 절실하면서 자연스럽게 살아남을 수있는 시의 존재 성격과 역할이 무엇인지를 성찰하게 해주는 것이다. 그렇다면 생명체의 간절한 존립이나 양육을 위하여 자기희생의 운명에 던져진 문자와 시가 "흰 종이를 마구마구 낭비하는/ 시인도 시집도 너무 흔한 세상에"서 찾아낼 수 있는 새로운 시쓰기의 존재 가치와 역할은 무엇일까? 고진하 시인이 진흙을 주무르면서 탐구하고 누리는 시와의 육체적 교감이 모성적 사랑의 영성을 절실하게 구현해 주기를 바란다.

이경호 평론가

1955년 서울 출생.

고려대학교 영문과와 같은 대학원에서 비교문학 전공.

1988년 계간 문예지 『문학과비평』 신인상으로 등단.

저서로 『문학과 현실의 원근법』, 『문학의 현기증』, 『상처학교의 시인』 등이 있다.

문학연대 시선 06

새들의 가갸거겨를 배우다

초판1쇄 2023년 11월 24일

지은이 고진하
펴낸이 정용숙
펴낸곳 ㈜문학연대

출판등록 2020년 8월 4일(제 406-2020-000088호)
주소 경기도 파주시 헤이리마을길 24, 2층
전화 031-942-1179
팩스 031-949-1176

ISBN 979-11-6630-105-6(03810)

만든이들 편집공방, 허정인, 변영은